Texto: Anna Obiols
Ilustraciones: Subi

Tiranosaurio Rex

El rey de los dinosaurios

edebé

Tengo un amigo.

Es tan feroz que ha asustado

ya a más de uno.

Tiene tanta fuerza que ni todos los forzudos juntos pueden con él.

Es tan valiente

que no me preocupa

enfrentarme con nadie.

Tiene unos dientes tan grandes que para cepillárselos necesito un cubo y una fregona.

Y son tan afilados que…

¡menudo miedo!

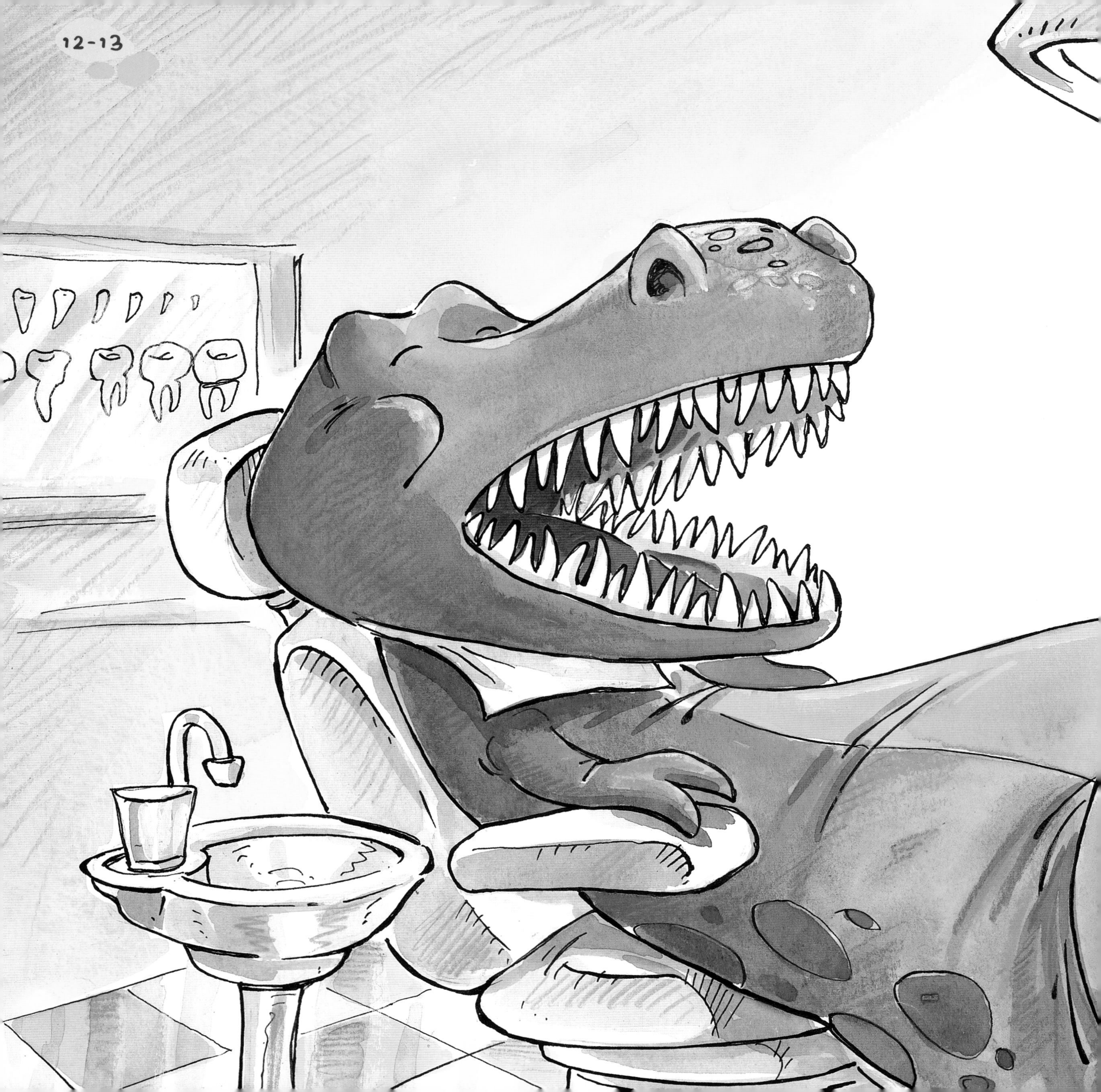

La primera vez que le llevé
al dentista, el médico se dio
un susto de muerte.

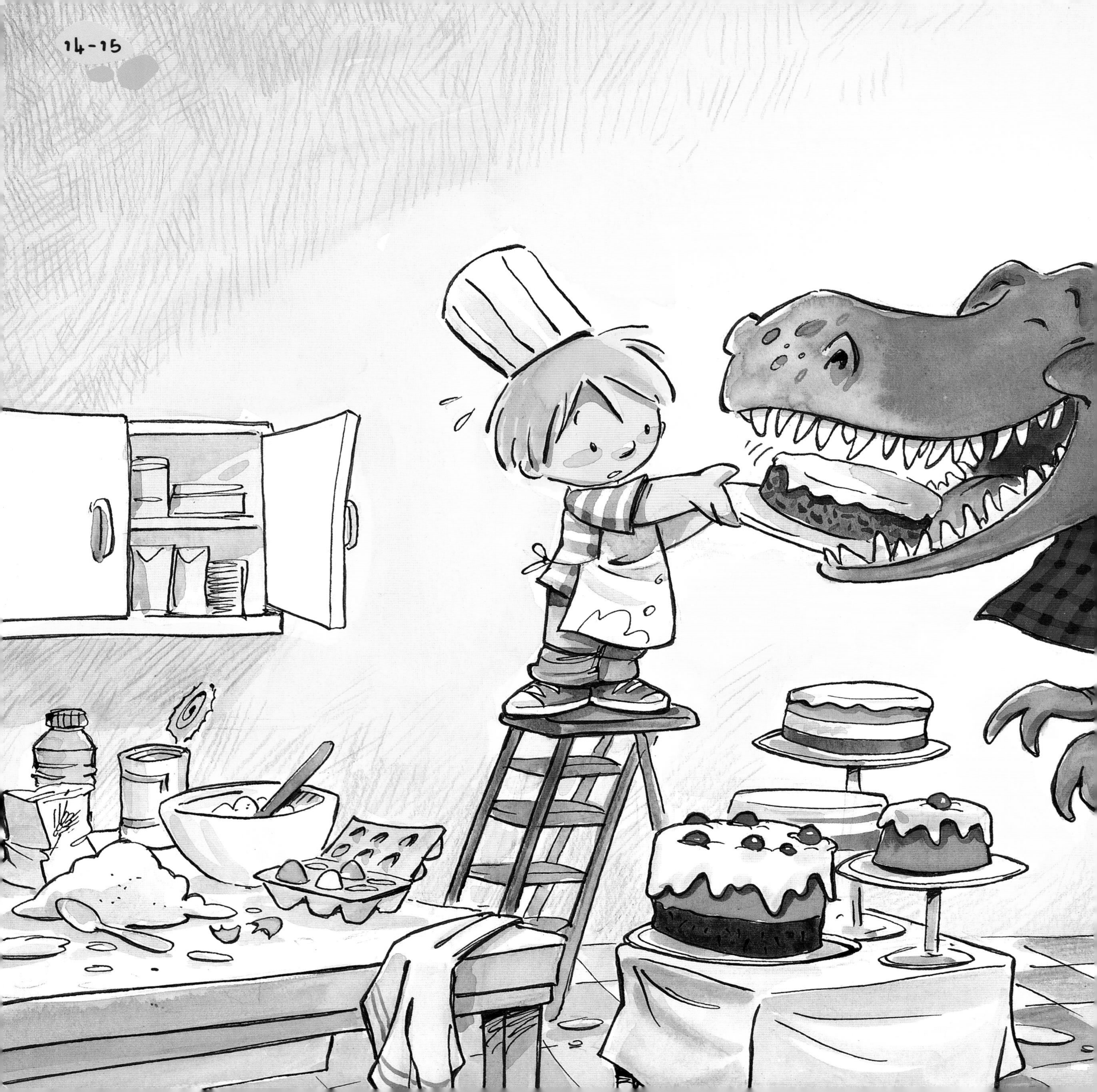
14-15

Siempre tiene hambre.

Es capaz de desayunar cincuenta pasteles

de chocolate y treinta helados de fresa

y quedarse aún con ganas de algo más.

Es difícil llevarle la contraria

pues siempre ganará él.

A los Reyes les pidió
una bicicleta.

Siempre que juega con mis amigos

le toca hacer del malo de la historia.

Su cola es tan larga y pesada que para moverla se necesita la retroexcavadora que utiliza mi padre para trabajar.

Es tan rápido que los coches de carreras ni lo ven pasar.

¿**S**abéis quién

es mi amigo?

El TIRANOSAURIO REX

que todas las noches duerme conmigo.

¡Buenas noches!

Ningún otro dinosaurio tenía un cráneo tan grande y poderoso. Podía medir 3 metros de largo.

Su visión binocular le ofrecía una gran amplitud de vista.

Sus dientes eran afilados y de formas diversas. El mayor diente que se ha encontrado mide 30 centímetros.

Las patas delanteras eran cortas y tenían dos dedos con garras.

El Tiranosaurio Rex

Tenía el cuello curvo en forma de «S». Era corto y musculoso, para así poder soportar el peso de su enorme cabeza.

Podía medir 15 metros de longitud y hasta 5 metros de altura. Su peso podía alcanzar las 8 toneladas.

Tenía una cola larga y pesada.

Sus patas traseras eran muy robustas.

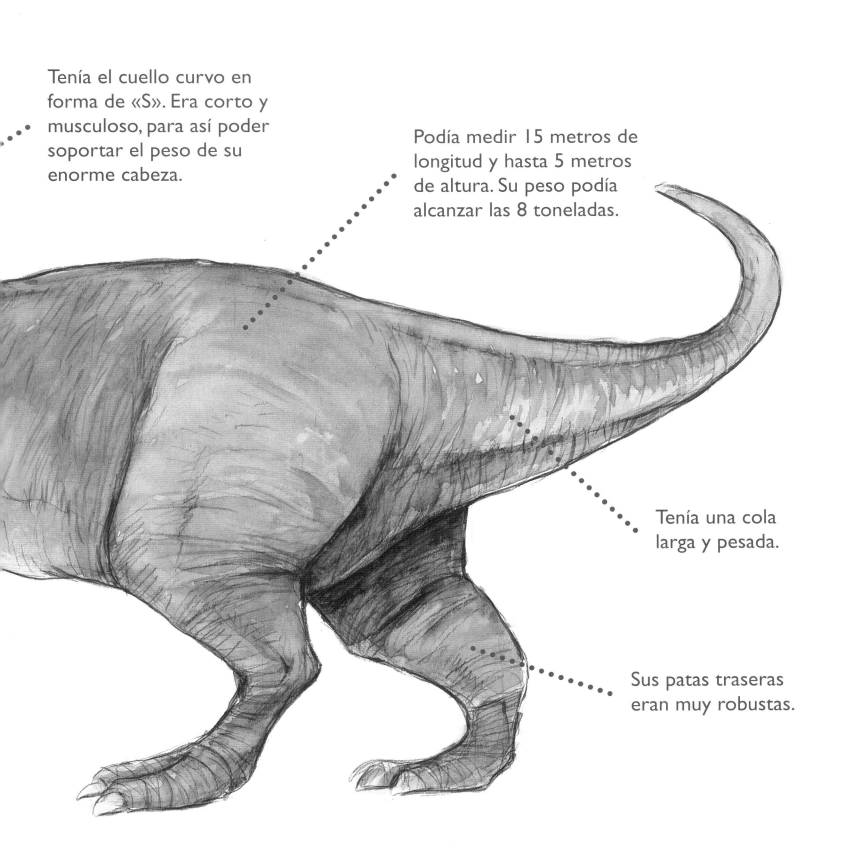

DESCRIPCIÓN CIENTÍFICA DEL TIRANOSAURIO REX

Su nombre latino quiere decir «reptil tirano rey»,
por ello es el rey de los lagartos tiranos.
El Tiranosaurio Rex vivió en el período Cretácico.
Esta etapa va desde hace 140 a los 61 millones de años.
Poco a poco, los dos continentes (norte-sur) que existían
durante el Jurásico se fueron convirtiendo en
los continentes actuales. El clima era más frío,
las estaciones estaban muy marcadas
y aparecieron las primeras flores.

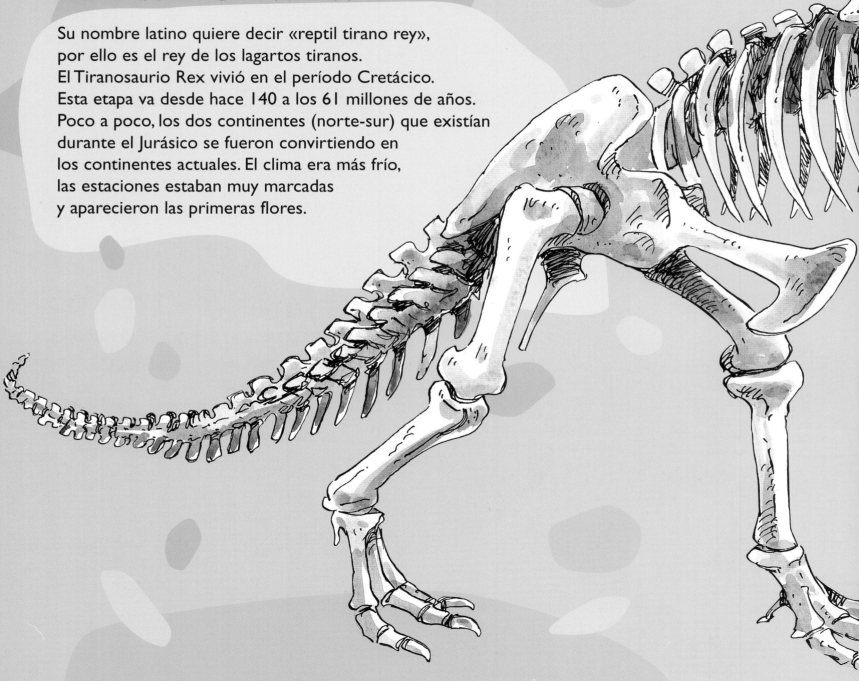

- Se puede afirmar que ha sido el animal más grande que ha vivido en la tierra.
- El Tiranosaurio Rex podía mover la cabeza en todas las direcciones.
- Tenía una cola larga y pesada. Era así para poder equilibrar la cabeza y el torso masivo.
- Barnum Brown fue un importante buscador de dinosaurios y quien descubrió los primeros fósiles de Tiranosaurio Rex.

CARACTERÍSTICAS

El Tiranosaurio Rex era un dinosaurio carnívoro bípedo, es decir, que andaba sobre dos patas. Las patas traseras eran muy potentes y grandes y estaban situadas debajo del cuerpo, mientras que las dos de delante eran pequeñas pero muy robustas a pesar de la medida que tenían. Éstas, tenían dos dedos con garras. Debía de tener los músculos del cuello muy, muy fuertes para poder y aguantar su gran cráneo. Los dientes eran afilados y tenían garras para arrancar la carne. Cuando se le rompían los dientes o se le desgastaban, le crecían de nuevo. Era un cazador feroz y pocos animales podían escapar de su ataque. Estaba muy preparado para cazar y matar: era grande, tenía mucha fuerza, unos dientes temibles y parece que también tenía los sentidos muy desarrollados para oler, oír y ver a su presa.

El Tiranosaurio Rex tenía que comer mucha carne para poder satisfacer su apetito. Atacaba a otras especies de dinosaurios. La mayoría de ellos se mantenían lejos de este gran depredador. La situación de los ojos le permitía una visión excelente para cazar si lo comparamos con otros dinosaurios. Tenía una visión binocular inusual. Para mover su inmenso cuerpo, necesitaba unos músculos muy fuertes. Y para poder compensar su volumen, muchos huesos del esqueleto estaban vacíos, de esta manera reducía su peso sin perder fuerza.

Vivió en el actual oeste de Norteamérica.

Información general sobre los dinosaurios

Dinosaurio significa «terrible, poderoso lagarto o reptil imponente».

Los dinosaurios eran un grupo de animales muy variado que vivió en la Tierra hace ya millones de años. La época en que vivieron se divide en tres grandes períodos: el Triásico, el Jurásico y el Cretácico. Todo lo que se conoce sobre estos animales es gracias a los fósiles, es decir, los restos de animales y plantas que vivieron hace muchos años y que se han convertido en piedra. Gracias a restos fósiles como huesos, huellas, pieles, huevos… podemos saber qué comían, cómo se movían, cómo nacían… Los paleontólogos son los científicos que estudian a los dinosaurios. Cuando se encuentran restos de dinosaurio, lo primero que se hace es desenterrarlos con mucho cuidado. Luego se transporta todo el material, procurando que no sufra daño alguno, hasta el laboratorio. A menudo todos los fósiles se envuelven con yeso como hacen los médicos cuando enyesan

piernas rotas. Más tarde se limpian todos los restos que se han encontrado y finalmente se monta el esqueleto como si fuesen piezas de un rompecabezas. Algunos de estos esqueletos se pueden ver en museos que hay diseminados por el mundo. Gracias a los investigadores y a los científicos, hoy sabemos que los dinosaurios nacían de huevos, como los actuales pájaros o reptiles. Su piel debía de ser rugosa y muy gruesa, parecida a la de los cocodrilos. Lo que no podemos saber es de qué color era la piel. También sabemos que algunos eran herbívoros, es decir, que se alimentaban de plantas, y otros eran carnívoros porque comían carne.

Algunos andaban sobre dos patas, los bípedos, otros lo hacían sobre cuatro, los cuadrúpedos, y algunos podían hacerlo, indistintamente, sobre dos o cuatro. Aunque los conocemos por sus enormes dimensiones, algunos dinosaurios medían como un hombre o eran aún más pequeños.

Tiranosaurio Rex

Autora: **Anna Obiols**

Ilustraciones: **SUBI -Joan Subirana-**

Diseño y maquetación: **Gemser Publications, S.L.**

© **Gemser Publications, S.L. 2012**

© **de la edición: EDEBÉ 2012**
Paseo de San Juan Bosco, 62   08017 Barcelona
www.edebe.com

ISBN: 978-84-683-0350-5
Impreso en China
Depósito Legal: B. 29200-2012
Segunda edición